D1647154

Auch, le 14.04.14

LE PARAPLUIE
ROUGE

Pour Isa,
Pour mes fous rires,
mes passions
communes et
Pour le cœurs
qui nous rapproche.
Je t'embrasse,

Sandra

Collection *Alter & Ego*
dirigée par CLAUDE CHAMBARD

Écrire vers la rencontre, avec l'autre, le
lecteur, le monde qui ne nous attend pas, qui
ne nous demande rien. En prose. Dans une
prose où l'autre emplira nos yeux, de son
absence, de sa présence, du pire essoufflement
de soi au souffle prodigieux de l'autre – et
inversement – pour nous sauver de la fin
d'un monde.
Dans la trace, dans la capacité à ne pas
perdre la mémoire, à garder en mémoire,
jusqu'à la parole « mythique » de l'autre qui
s'incorpore dans l'écriture. Une carte postale,
peut-être… Une histoire d'amour, à coup sûr.
D'une rive l'autre.

Avenue de la mer, Michèle Sales.
Je suis une surprise, Marc Pautrel.
Inéluctable, Daniel Soil.
Ferdinand, Lucie Braud.
Les yeux, Philippe Motta.
Les œuvres mortes, José Luis de Juan.
Tranquille, Anne-Marie Garat.

Les Éditions In8 ont reçu le soutien
de la Région Aquitaine

© Les Éditions In8, 2014
ISBN : 978-2-36224-050-8

LE PARAPLUIE
ROUGE

Anna de Sandre

à Sarah

SOMMAIRE

Des mots étalés
Sur la table comme des
Serviettes utilisées
Par cent par mille
Par dix mille bouches
Des mots vides
Et légers des mots
Que la lumière
Traversait des mots
Plus fins que le
Papier à cigarettes
Des mots
Qui tombaient
En poussière

Il passait des jours
À les recoudre
Les raccommoder
Les rapetasser
Les doubler de feutrine
Tels de vieux paletots
Toujours d'usage
Et quand il en trouvait
Un moribond
Il le nourrissait d'une goutte
De sang frais.

Francesco Pittau
Une maison vide dans l'estomac

UN FESTIN EN HIVER

Le regard préoccupé de Clara Guillaume ajoutait un filtre troublant à la découpe des rues et des habitations de la ville où elle avait rendez-vous.

V. somnolait sous des congères fraîches et un épais vernis de glace, et pourtant les maisons les plus anciennes ne sentaient plus le vieux mur mais puaient, l'urine des chiens était plus âcre encore, et des relents de vin, de bière et de sangria s'accrochaient et collaient un peu partout, circulaient et caressaient même les corps comme des tissus humides et écœurants.

La femme, nouvellement arrivée, avait le nez saturé et cherchait ce qui provoquait ce changement encore taiseux dans un lieu d'ordinaire assoupi dans le drap de ses messes. À sa dernière visite, la tension venait d'elle et balayait un espace invisible à mesure de sa marche dans les artères de V., mais aujourd'hui une inquiétude, qu'elle n'arrivait pas à localiser, freinait sa progression. Venait-elle de l'extérieur ou de son déplaisir à revoir sa sœur, elle préférait ne pas le savoir encore.

Les ruelles étaient inégales et piétonnes. Le froid fronçait les sourcils et gerçait les peaux, amplifié par les vieilles maisons humides dans ces goulots qui ne chauffaient pas assez vite. Dehors, les ponts gelés offraient un miroir tendu au soleil puis à la lune indifféremment, et traçaient des courbes blanches sur le fleuve ralenti et assourdi par une fine couche de glace.

Enfant, Clara Guillaume ne voulait pas devenir institutrice. Ni coiffeuse, ni infirmière. Juste parler aux arbres et enterrer ses mèches de cheveux dans un pilulier sous des rhubarbes. Une fois, elle avait soigné un chien sans collier avec de la Bétadine : on la crut bonne pour des études de vétérinaire. Elle ne voulait pas non plus être pilote d'avion, cosmonaute ou pompier. Ni pute ni clocharde, précisait-elle à quinze ans en triplant sa quatrième de collège. Elle ne regretta pas de n'avoir pas découvert le vaccin contre la rage, créé une entreprise, fait voter une loi, tenu de journal ni même eu envie de marcher au fond de l'eau avec des cailloux dans les poches de sa robe.

On lui reprocha plus tard devant des zincs de refuser les repas chauds, les douches et les chambres collectives proposés par les centres sociaux, mais le mois dernier elle avait fui : un dortoir bruyant, des femmes avec un cran d'arrêt dans les mains, le vol de ses chaussures, un bol d'eau claire teintée, la vermine, les puces et la merde, les douches humiliantes et l'expulsion à sept heures du matin.

Pendant quelques semaines, elle avait cuit sur un réchaud à côté d'une tente des restants de coquillettes, qu'elle versait ensuite dans une assiette minuscule jusqu'au ras du bord. Trop peu de bouchées pour son estomac.

Il y a quelques jours, l'assistante sociale de secteur lui avait passé une communication improvisée sur son portable. Dans le récepteur on battait le briquet, une blonde grésillait et Clara avait cru sentir l'odeur de la fumée qu'on recrache chez son père. Elle en avait eu les larmes aux yeux. Elle avait dépouillé et terminé les derniers mégots d'un cendrier dans un bar la veille au matin.

Le vieil homme au téléphone n'était pas content. Il mangeait toujours ses chocolats liégeois de la même manière : « D'abord j'attrape délicatement un nuage de chantilly à la surface, qui fond rapidement sur ma langue. Puis je creuse un puits dans le chocolat noir et remonte une cuillerée à ma bouche que je retourne en fin de course. Et seulement après je termine en mélangeant le blanc et le noir. Toujours. Sauf à midi. Je ne sais pas ce qui m'a pris, j'ai voulu commettre une folie et mélanger directement après avoir retiré l'opercule. C'était nul ! Aucun plaisir. Je peux te dire que je passe une journée de merde. Quand est-ce que tu viens me voir ? »

Clara craqua une allumette à l'abri du vent glacé sous un porche couvert de graffitis. Une fan de BD japonaise aux paupières peintes en rouge lui avait offert son paquet de cigarettes à peine entamé comme ça, pour la beauté du geste ou parce que son air d'absente au monde lui parlait, et ça l'avait fait se sentir vivante pour au moins le temps de toutes les fumer, le temps d'apaiser ses manques.

Puis elle s'arrêta devant une boulangerie dont les vitrines s'étendaient sur un bon quart de la rue. Elle regarda les viennoiseries avec hésitation, tandis que sa petite monnaie rendait la paume et la face antérieure de ses doigts un peu moites (malgré le froid précoce et inhabituel), et renonça quand elle vit qu'elle n'aurait pas assez d'argent pour payer. Dommage, les pains aux raisins la faisaient particulièrement saliver.

Le retard de sa sœur devant la fontaine de la mairie était responsable de son éloignement de leur lieu de rendez-vous, plus que cette pulsion qui la prenait à chaque fois que la possibilité de croquer ou dévorer se présentait à elle. Une pulsion toujours bien accueillie, malgré la faim qui remplaçait sa gourmandise depuis son éviction et son actuelle précarité. Avoir de l'appétit, c'est ce qui lui avait donné envie de traverser sa vie en ouvrant largement la bouche, et ceci depuis qu'elle avait rampé jusqu'aux seins autrefois généreux (et lâchés tardivement) de sa mère.

La neige tombait encore. Ses flocons, secs et légers, mordaient les peaux tièdes en fondant, donnant des plaisirs furtifs aux passants alanguis par la précocité de cet hiver. Clara s'était rapprochée de la fontaine et fumait bruyamment quand sa sœur lui tapota l'épaule.

«Allons vite chez moi, avant que le gel ne brûle nos poumons.» Puis elle désigna la cigarette en relevant le menton et rectifia : «Enfin, les miens, parce que les tiens à mon avis sont déjà pris.» Et elle ouvrit la marche en ajoutant : «Pas de ça dans ma maison, bien sûr.»

Clara, le visage fermé, la suivit jusqu'à sa maison dont elle avait déjà franchi le seuil quelques fois, et c'est avec fatalité qu'elle reconnut les pièces sobres et dépouillées, aux tons neutres (si on excluait la cuisine aux couleurs mauresques), et à l'odeur d'encaustique qui se dégageait des meubles. Un peu étourdie par la faim et la gêne d'occuper le territoire d'Esther, elle s'assit dans un fauteuil tapissé de toile de lin, placé entre un des angles de la cheminée et la grande porte-fenêtre qui éclairait violemment le salon pendant les mois aux journées longues, mais permettait d'économiser les lumières artificielles quand les jours raccourcissaient.

Son manteau séchait à même le dos d'une chaise sortie de la cuisine, devant la cheminée que son ex-beau-frère avait achevé de dessiner et d'ouvrir une semaine avant leur séparation – détail qu'elle connut plus tard, pendant le dîner.

Le silence qui précède les discussions redoutées déconcentrait l'une et apeurait l'autre, étirant les minutes d'un point à l'autre du salon comme le fil d'un étendoir qui attendrait que la famille lave son linge.

«Bon Esther, qu'est-ce que tu me veux, pourquoi tu m'as fait venir chez toi? Ton texto disait juste «j'ai besoin de toi» et je ne te cache pas que c'est un peu léger.»

Et, satisfaite du ton sec de sa demande, Clara entreprit de taquiner les peaux autour de ses ongles en évitant de regarder sa sœur. La neige s'empilait sur le bord des fenêtres, et son niveau montait si rapidement au milieu de ce mois de novembre qu'Esther eut un éblouissement, car elle pensa au niveau de la mer grignotant les hublots d'un bateau qui ferait naufrage. Elle resserra son gilet en croisant les bras et fixa le feu qui dégageait un peu de fumée. Il avait été mal préparé, sans petit bois ni jours assez ouverts entre ses bûches grossièrement croisées, aussi la chaleur de l'âtre restait suffisamment tiède pour ne pas rallumer les radiateurs, mais ne l'était en revanche pas assez pour qu'on se laisse aller au bien-être.

«Je veux que tu me fasses des kefta; mais la recette de Papa, hein, exactement la même. Tu m'en fais la valeur de deux saladiers, et je t'héberge gracieusement pendant deux mois.»

Elle dit cela et ce fut presque tout :

« Oui, ça fait un mois par saladier », ajouta-t-elle vulgairement, pour le plaisir d'user de son humour cynique et trivial.

« Tu l'as vu, la maison est une toulousaine, donc au bout du couloir il y a la porte du jardin, et sur la droite la chambre de Lucas, qui est à Grenoble depuis la rentrée. Ton neveu est d'accord pour que je te la prête. Je sais que tu me prends pour une dingue, mais je veux ces kefta, et il n'y a que toi qui sais les faire. »

Clara leva brièvement les yeux, dans lesquels sa sœur aperçut un éclat qu'elle prit pour de la haine sur ses pupilles voilées de tristesse, puis elle se leva du fauteuil pour venir appuyer son front contre le carreau glacé et embué de la porte-fenêtre la plus proche de la cheminée.

Esther, la femme de la famille qui avait tracé la cartographie d'une carrière brillante, aux lignes tirées dès l'âge de sept ans malgré un foyer friable, l'extirpait fréquemment de sa fange. Clara oscillait au bord du vide, et sa cadette mais néanmoins régente surgissait pour tenter d'imprimer un nouveau mouvement à ses marches, si possible pendulaire.

Jamais par bonté, les sœurs ne s'accordaient pas, ne s'aimaient pas, mais pour montrer au père – en le lui faisant toujours savoir par des appels téléphoniques grossiers – à quel point il était défaillant.

C'était la première fois qu'Esther ne trouvait pas un prétexte plus sérieux pour venir en aide à sa sœur, mais cette dernière allait accepter et rester discrète, car elle se savait enceinte, et son corps réclamait de vivre cet état de grâce jusqu'à son terme.

En sortant les courses du panier à provisions, et sans avoir besoin de revoir sur des images mentales les lieux qu'elle avait squattés, Clara eut une sensation qu'elle put définir comme vraiment nouvelle : elle estima qu'elle était détendue et réceptive à ce qui l'entourait – en position d'accueillir les bienfaits d'une stabilité de quelques semaines, des murs épais et une porte solide, des objets, des ustensiles, des appareils, et des contenants munis, pourvus, réassortis, réapprovisionnés dès que besoin.

Elle posa la main sur son ventre, sur son fils – car elle le devinait garçon –, en croyant déjà sentir sous ses doigts qu'il se régalait du pain aux raisins qu'elle avait finalement acheté avec la monnaie des courses, et termina de tout ranger, gardant sur le plan de travail de la cuisine les ingrédients nécessaires à la préparation des kefta.

Esther était partie travailler après lui avoir confirmé qu'elle ne souhaitait toujours pas apprendre à cuisiner, et que donc elle se passerait de son aide. C'est en cherchant et farfouillant que Clara se familiarisa avec la cuisine à l'équipement minimal, et elle commença la préparation des boulettes.

«D'abord, tu demandes au boucher un kilo de viandes hachées : soixante-dix pour cent de bœuf, et trente pour cent de mouton», disait toujours son père – elle avait doublé les quantités pour ce soir –, «et va chez les Arabes, les Français ça les fait chier de changer la lame du hachoir entre chaque viande.»

Les mains propres, Clara semblait écouter son père, et cette fois-ci elle aurait dit qu'il s'adressait à son fils.

«Tu l'entends, Mathias?» Elle toucha son ventre pour s'assurer de la réponse, et elle plongea ses doigts dans le hachis qu'elle mélangea dans le saladier avec de l'huile d'olive, du citron, de l'ail écrasé, des graines de fenouil, du cumin (qu'elle prononçait "kmoun"), un peu de sel et de la harissa. Elle n'avait pu se retenir d'en prélever un peu, de goûter à même le saladier la viande crue et pas encore macérée, et c'était comme à chaque fois qu'elle faisait une démonstration de cette gourmandise en présence de son père d'habitude indifférent à sa fille aînée: il était admiratif de son appétit, et c'était cette valeur ajoutée à son goût pour la cuisine méditerranéenne qui donnait à Clara une satiété qu'elle ne retrouva pas dans sa vie de femme. Les sourcils levés de son père, sa bouche pincée sur un sifflement exclamatif, et parfois même un clin d'œil approbateur qu'il ne contrôlait pas toujours: oui, elle avait reçu des démonstrations d'affection pour ces seules occasions, et dans la joie à chaque fois. Et quand il l'a mise à la porte, qu'elle a chuté avec méthode sur les quelques opportunités offertes mécaniquement, et que son estomac a étréci pour lui montrer la différence entre la faim et l'avidité, c'était pour lui désigner en quelque sorte la place qu'il voulait vraiment qu'elle occupe, à savoir ni à sa table, ni à celle d'autres, et encore moins qu'elle se fasse la sienne propre dans le moindre quelque part. Elle ne connut alors que des sans-abris, des zonards, des punks à chiens et des fugueurs, c'est-à-dire des hommes incapables de la rassasier, et Clara ressentit la faim au point que manger cessa d'être une obsession. Ne pas crever était son nouvel appétit, survivre une élaboration épuisante et constante de recettes successives, se réveiller en vie, sans maladie ni blessures, le soulagement qui remplaçait le plaisir d'un estomac comblé.

Esther se déchaussait sur le seuil de la maison et tapait les semelles de ses chaussures contre un des murs pour décoller la neige compacte et gelée quand sa sœur déposa les boulettes de viande dans le fond d'une poêle très chaude.

Esther la remercia en prenant place à table, lui fit compliment pour l'excellence de ses kefta avec des commentaires favorables à la fois sur le goût et sur la cuisson, puis resta longuement silencieuse. Clara dévorait le contenu de son assiette, la torchait au pain de maïs pour se régaler du jus puis se resservait, piquant la pointe de sa fourchette dans les boulettes pour les sortir facilement du saladier. L'odeur de gras et d'épices, les fumées de la cuisson persistaient doucement malgré la fenêtre de la cuisine entrouverte, et Clara regardait parfois Esther à la dérobée à travers cette brume parfumée qui ne la lui rendait pas plus proche, mais du moins adoucissait ponctuellement son jugement sur cette sœur dont elle croyait toutes les ambitions comblées.

L'âge imposant au fur et à mesure ses concessions et ses pertes, elle ne ressentait plus ni rancune ni mépris. Pas de reconnaissance non plus, l'altruisme d'Esther lui servait à se valoriser aux yeux du père, elle le savait, mais sans approcher le pardon ni l'indifférence, son cœur et son esprit arrivaient à s'apaiser, et davantage encore à présent qu'elle allait devenir responsable de quelqu'un.

«Mon mari m'a quittée», lança Esther, la bouche dure, tandis que Clara plongeait à nouveau sa fourchette dans le saladier pour manger les derniers kefta. Esther pour sa part avait repoussé son assiette après la troisième boulette.

«Il y a six mois, un peu après que les médecins ont diagnostiqué le stade trois du cancer des poumons de Papa», précisa-t-elle, sur le ton qu'elle aurait pris pour informer que sa maison avait une mention un peu faible sur son écocertification. Elle observait Clara qui torchait à présent le saladier, puis elle se leva et ferma complètement la fenêtre, pour ne pas qu'elle voie l'agacement qu'elle ressentait en la regardant téter ses doigts enduits de graisse. Elle regagna sa place après avoir débarrassé la table et servi le dessert (des yaourts et quelques fruits), et affronta Clara qui se curait les dents avec la langue et contemplait le mur carrelé d'un panneau d'azulejos au-dessus de l'évier.

Clara ne savait pas si elle était repue, mais toute son attention allait à son petit gars, et elle sentait que lui avait assez mangé, ce qui lui suffit.

«Tu m'emmerdes, Esther», lui dit-elle pour commenter son annonce. «Papa et toi savez claquer des doigts les rares fois où je vous manque (elle poussa un ricanement dans un souffle bref), et quand vous en avez marre vous me remettez sur le macadam avec un coup de pied au cul.»

Esther inspira car elle avait l'intention de protester, mais elle se ravisa et prit appui sur ses coudes pour poser sa tête dans ses mains jointes. Le froid dehors parut se densifier, comme s'il aspirait l'air de la cuisine pour s'alimenter. C'était visible au givre qui recouvrait tout ce qui était sans chaleur: vitres, zinc, tuiles, clôtures; et aux gouttes qui ne tombaient plus du toit, freinées dans leur course et alignées comme des pampilles. La respiration des deux sœurs devint pénible et Clara commença à trembler.

«Tu veux quoi, que j'aille le voir ? Allez vous faire foutre tous les deux. Je m'en cogne de savoir qu'il va clabauder.

– Clara, arrête avec ta grossièreté bon sang, tu réagis toujours comme une morveuse, c'est vraiment pénible ! Va le voir, qu'est-ce que ça te coûte ? Je t'emmène à l'hôpital, je t'attends dans le couloir et on revient ici. Ça prendra un minimum de temps dans le maximum de vide de ta vie. C'est correct, non ? »

Esther avait répliqué en forçant un peu sur sa voix, et elle eut mal à la gorge. Elle toussa puis déglutit, mais la légère douleur restait.

«Non. Il va mourir, et grand bien lui fasse, réagit Clara. C'est la vie, et ça va nous arriver à tous. J'attends un enfant ma vieille, je vais déposer dans quelques mois un paquet de chair palpitant et avide sur cette terre pourrie, et je veux juste m'occuper de lui sans me rappeler que je viens de quelque part. Son père à lui est oubliable, à tel point d'ailleurs que je ne sais même plus qui c'est, mais j'espère quand même que ce gosse va énormément lui ressembler et n'aura pas le grand nez et le lâche égoïsme de maman dont tu as

hérité, ni mes cheveux filasses et ma gloutonnerie qui me rappellent constamment que je
suis la fille de mon père.»

Esther était à présent adossée à sa chaise, et
elle avait croisé les bras. Les sœurs Guillaume
ne se quittèrent pas des yeux, assises l'une
en face de l'autre, mais voici qu'arrivée
l'heure des doléances, Esther sortit de table
pour renoncer à enfreindre le règlement de
la famille. Rédigé autrefois par un couple
immature et sans grâce, il avait poussé les
enfants précoces à remonter à toute vitesse
les pentes raides en bas desquelles leurs
parents les oubliaient régulièrement, ou a
contrario pour Clara, à se pelotonner contre
un des talus, en attendant que les aléas de la
vie lui tricotent une couverture, et il enjoi-
gnait chacun des membres à laisser les abcès
vieillir et se calcifier.

Clara l'entendit s'éloigner dans le couloir,
puis un bruit de clefs qu'on soulève, la porte
d'entrée, celle du garage, enfin le moteur qui
tourne à l'arrêt avant que la voiture à peine
tiédie ne glisse sur ses pneus enchaînés dans

la neige fraîche et craquante. Elle alluma une cigarette malgré la consigne et décida entre deux bouffées de ne pas rester dans la maison de sa sœur. Elle aperçut, en rouvrant la fenêtre de la cuisine pour dissiper la fumée du tabac, un oiseau aux pattes enfoncées dans la poudreuse, posé à même le sol à droite du portail, et qui semblait l'observer, la tête légèrement inclinée, comme étonné qu'elle soit encore là, et cela lui rappela le matin où leur mère les avait quittés pour suivre un homme plus viril que son mari. C'était le matin d'un jour de neige, et un oiseau semblable à celui-ci avait lui aussi paru assister à son départ – comme elle-même à présent s'apprêtait à le faire –, avec le même air surpris.

C'était une famille où l'on chassait ou abandonnait, où l'on avançait péniblement dans l'âge en jouant à saute-mouton avec de grands élans par-dessus les manques et les pertes.

Clara adressa un remerciement silencieux à l'oiseau : à une heure de route, peut-être le double si elle peinait à trouver des conducteurs pour la voiturer sur le trajet ardu qui l'attendait, elle rejoindra un foyer de mères isolées. Mathias grandira avec la sienne, et cette ambition inhabituelle lui ouvrit l'appétit.

C'est alors qu'elle eut à nouveau envie de manger et elle se souvint de l'autre saladier. Esther l'avait réservé dans le réfrigérateur et elle comprit au même instant l'objet qui avait motivé sa requête étrange : elle avait prévu que Clara ne viendrait pas dire au revoir à leur père, mais elle pourrait faire croire à celui-ci qu'à défaut de venir le saluer, Clara lui avait préparé des kefta en guise d'unique et ultime cadeau.

Elle sortit le saladier, ralluma sous la poêle au moyen de son briquet et fit cuire toutes les boulettes de viande. Elle les arrosa ensuite du jus d'un citron frais et les dévora toutes avec sa gloutonnerie habituelle, et aussi la voracité d'une femme enceinte. Il s'agissait en cet instant de choisir entre nourrir son père ou nourrir son fils, or le poids du silence, les blancheurs qui trouaient la nuit si froide donnaient encore plus de valeur à ce choix, à cet acte de manger comme pour dire à son fils : « regarde comme je t'aime, regarde comme je prends soin de toi, regarde comme nous ensemble, c'est le début de quelque chose de différent. »

Elle s'essoufflait et fatiguait à mesure que son estomac s'alourdissait, qu'une légère indisposition la contrariait, mais c'était pour elle une sensation de bien-être, les premières manifestations d'un bonheur qui s'installait dans son ventre à côté de son fils, comme un petit frère.

Elle nettoya la vaisselle et rangea la cuisine, enfila son manteau, récupéra son bagage intact dans la chambre de son neveu et referma calmement la porte de la maison.

Il s'était remis à neiger, cette fois-ci des flocons lourds et drus, qui recouvraient déjà les traces de sa sœur. Le monde n'était plus vaste ni effrayant, il était rectiligne d'un point à un autre, d'un désir à un assouvissement, d'un rêve à un accomplissement, d'un appétit à une satiété, et le nom des Guillaume ne s'effacerait peut-être pas dans la neige.

Clara posa les mains sur son ventre avant de se mettre en marche et murmura avec cette tendresse nouvelle qu'elle se découvrait :

«Viens, Mathias, on rentre chez nous.»

À LA NUIT, LOIN DU MONTANA

Avant, quand j'osais relever la tête pour dessiner un rêve dans les bouts de ciel entre les branches du tilleul, derrière la barrière de chez Baloge – le propriétaire de l'immeuble où je pistais les cafards au lieu de chercher un travail –, je partais pour le Wyoming ou le Montana, et je me mettais à la colle avec un garçon vacher à qui je servais des tartes aux pommes, et lui tapait de temps en temps sur notre éolienne en bois avec un lance-pierres. Je ne sais pas à quoi ça sert, mais dans les films des Américains, il y a toujours une éolienne en bois derrière leur ferme, alors j'en ai longtemps voulu une.

Maintenant, ça m'est égal de ne plus rêver. Avec le temps, les rêves sont emportés dans le bruit des feuilles mortes sur la route d'une mauvaise pente. Elles reproduisent à l'identique le bruit des grains dans un bâton de pluie que l'on verse en douceur, et sur le coup c'est agréable, on ne comprend pas très bien ce qui arrive. Quand on sait enfin de quoi il retourne, la douleur est anesthésiée par les mandales qui pleuvent dès que la réalité vient bloquer sa grolle cirée dans l'entrebâillement forcé de votre porte.

Je ne me plains pas, je n'ai jamais su rouler dans un circuit et c'est l'affligeante explication de mon indigence.

J'accompagnais mon amie Dottie quelquefois, la nuit, dans des endroits qui me rappelaient que je n'étais à ma place nulle part. Elle fréquentait des gens qui lui faisaient du bien, ou qui agissaient pour son bien, jusqu'à ce qu'elle développe une migraine formidable et vomisse aux toilettes ou sur mes chaussures.

Je lui tenais le front et lui faisais croquer des bouts de gingembre confit ou des pastilles de menthe collés depuis des jours au fond de mes poches et elle me disait «T'en fais pas, avec tes gros nichons et ta face de Candy tu vas finir par te trouver un homme honnête».

Je répondais invariablement «ta gueule», (elle adorait ça), et je conjurais sa prophétie de malheur en lui mettant un coup de poing sur l'épaule. Dottie était ce que j'avais trouvé de mieux pour ne pas m'enlaidir. Elle croyait que j'avais un avenir avec quelqu'un qui m'attendait quelque part, et qu'il me suffirait de vouloir très fort un emploi où je pourrais travailler assise pas loin d'un radiateur pour qu'il tombe dans mon répondeur par la voix d'un employeur désireux que je signe un CDI dans les plus brefs délais. Sa foi en moi servait à que dalle, mais c'était la première copine qui me parlait sans mépris, et bien sûr j'ai fini par trouver ça délicieux.

Il y a environ deux mois – je me le rappelle à cause des orages craquant à une fréquence inhabituelle – Dottie voulut tester la nouvelle ambiance du club au nord-est de la ville. Après l'observation ennuyée du troupeau disgracieux puis la distraction de quelques verres, je sortis de la boîte particulièrement enfumée pour griller une Dunhill rouge sur le parking. Un gaillard nerveux entreprenait Dottie sur «la série des années 80» et la foule hurlait «Cœur de loup» à la mort.

Les voitures figuraient une autre foule, dans une nuit assez lunée pour bien les voir, et leurs formes alignées me rappelaient qu'un ordre établi, qu'un ordonnancement des choses, même aléatoire, pouvait apaiser des âmes simples; qu'il me suffisait d'arrêter le grondement qui m'épuisait et m'empêchait d'avoir envie, au moins, de mettre en place ne serait-ce qu'un début de projet de vie rangée.

En tafant la dernière bouffée au ras du filtre, je calculais la jupe redescendue de Dottie et m'apprêtais à retourner danser quand je vis la fille, et en train de le faire.

Ce n'était pas évident depuis ma place, mais en écarquillant bien les yeux et en scrutant la vitre du véhicule où elle était assise côté conducteur il n'y avait plus de doute: elle balafrait son cou et ses épaules, et sa bouche était ouverte sur un rictus pas loin de l'extase. Je sursautai et serrai les dents, le regard durci. Je balançai ma clope d'une pichenette et fis quelques pas en avant. La fille avait une allure juvénile que son profil démentait. Elle s'incisait lentement avec un truc qui ressemblait à un coupe-chou, en partant de sous le nerf trijumeau puis en glissade jusqu'à la pointe de son épaule ; je pouvais voir sur son avant-bras d'anciennes rayures boursoufflées, dont je me demande-rai plus tard qui ou quoi elles avaient soldé. Elle était tout en cheveux et en os et c'était la première fois que je voyais une femme pratiquer un bercement aussi violent pour apaiser ses douleurs. J'avançai encore et courus presque sur les derniers mètres. La portière n'était pas fermée. La poignée dans ma main était fraîche et rajoutait à l'am-biance ardente.

Je l'ouvris et hurlai : « Sors de là connasse ! » (je crois que je ne maîtrisais pas très bien mes nerfs moi non plus). Je ne sais pas de quoi j'avais peur ; d'avoir peur peut-être ou même pire : de me dégonfler.

Elle était lourde et son arme m'impressionnait, mais en jouant sur l'effet de surprise je pus la jeter au sol et m'emparer du rasoir sans trop de mal, puis le lancer bêtement entre des platanes ombrageant sa voiture dans le faisceau des spots à led pointillant le parking.

Je repris mon souffle sous les insultes de la jeune femme. Elles évoquaient un problème en rapport avec les testicules de mon père, ce qui me fit presque sourire, vu qu'elle avait probablement raison.

Un vent léger s'était levé et aérait l'odeur ferrugineuse que dégageaient ses coupures. Le temps allait encore tourner à l'orage. Nous étions dans l'été le plus orageux de ces dix dernières années, le taux d'hygrométrie avoisinait les cent pour cent et ses cheveux qu'elle portait frisés moutonnaient follement sur son front et dans sa nuque.

Elle se taisait à présent. Nous nous taisions ensemble, et ce partage me choquait un peu. Nous n'étions pas dans une communion d'esprit et le fait même d'y penser ne serait-ce que dans ces termes me dégoûtait vaguement.

«Tu veux une clope? J'ai pas de mouchoir mais tu devrais t'essuyer, ça dégouline sur ton tee-shirt.»

Je pensai aussi t'es complètement conne pourquoi tu fais ça, mais je me la fermai. Je lui présentai la Dunhill, légèrement extirpée du corps des autres clopes serrées dans le paquet. C'était comme cela que je les trouvais irrésistibles d'ailleurs, et à chaque fois que j'avais repiqué au truc (j'en étais à la troisième tentative), ç'avait été devant une tige à moitié offerte dans un paquet ouvert. Elle tira la sèche toujours sans un mot et je pus me gratter avec son merci.

«J'ai ma copine Dottie qui doit me chercher sur la piste. Depuis le temps que je suis sortie elle doit même se taper les chiottes et le vestiaire. Je vais aller lui dire que je suis toujours dans le coin. Tu veux venir?»

La jeune femme souffla une bouffée devant elle. Elle était assise, adossée à la roue avant gauche de son véhicule, tandis que je me tenais prudemment à côté d'elle, mais accroupie.

«C'est quoi ton nom?»

J'hésitai avant de lui répondre. Elle ne semblait pas gênée par ce qui venait de se passer et paraissait même écouter attentivement le brouhaha en sourdine qui sortait de la boîte de nuit par vagues avec les sautes du vent.

« Rachel, et toi ? »

Elle répondit aussitôt Amira et je sus qu'elle mentait : elle n'avait pas une tête de feuje. Mais elle avait de la répartie visiblement et ça me plut. Pourquoi, je l'ignore encore, mais le mensonge sorti de sa bouche pour créer ce premier lien entre nous était un effort que j'appréciai in petto.

« Finis ta clope, *Amira*, et nous allons rejoindre ma copine. Tu veux bien ?

— Ouais.

— Bon… »

Dottie rêvassait sur une banquette à l'écart. Seule. Elle avait rafraîchi son maquillage et tenait ses genoux serrés. Elle voulait un enfant sans père et si elle avait été soule elle aurait même fait le poirier pour mieux garder le jus dans son ventre.

Je lui présentai Amira d'un haussement d'épaules. Nous nous assîmes en face d'elle, écoutant la musique et regardant le théâtre des groupes qui suaient et hurlaient le temps d'oublier que demain frappe au lit au bout de chaque nuit.

Dottie souffla brutalement par le nez et son mépris à l'égard d'Amira me fit marrer. Elle me regarda rire, les lèvres pincées, et je croisai machinalement les bras alors que je ne me sentais pas sur la défensive. Elle sortit son portable et pianota des textos avec dextérité, signifiant par là que je pouvais bien aller me faire mettre. Amira se tenait avachie et nous tournait presque le dos. Elle regardait attentivement les danseurs, comme si elle s'attendait à en reconnaître ne serait-ce qu'un. Ça m'effleura d'ailleurs, car après tout je l'avais trouvée sur le parking de la boîte, et peut-être qu'elle n'était pas venue seule.

Curieusement, je souhaitais qu'elle le soit. Que personne ne la connaisse, qu'elle vienne de nulle part et même qu'elle n'ait pas de passé. Toute neuve à l'intérieur mais en conservant ses cicatrices, parce que je commençais à m'y habituer, à ses éraflures. Elles participaient à son charme bancal et cette violence étalée et fondue sur sa peau dans un beige à peine plus rosé, qui lui avait apporté une paix provisoire après chaque incision, qu'elle avait retourné contre elle et non sur autrui, cette violence me paraissait douce comparée à la minceur du matelas où je claquais mes nuits en plusieurs fois, insomniaque et dévorée par les puces, meurtrie aux épaules et aux lombaires mais vivante et bêtement reconaissante de l'être.

Je réalisai dans le même temps que je voulais qu'elle ait besoin de moi. Furieusement. Urgemment.

Gênée, je m'étirai et fis mine de me lever pour aller chercher un verre.

Amira ne m'en laissa pas le temps. Elle se leva brusquement et vint s'asseoir à côté de moi. Je me rencognai au fond de la banquette. Cette nouvelle proximité me mit mal à l'aise et je frottai mon nez l'air faussement vague.

Dottie regardait à présent ses ongles, les curait et les mordillait énergiquement, ce qui voulait dire qu'elle s'ennuyait et qu'il faudrait bientôt partir. Je lui demandai par gestes de bien vouloir aller chercher mon verre et elle soupira avec agacement une fois levée. Quand elle s'éloigna l'air devint plus respirable et l'étau qui étreignait mon estomac depuis mon retour dans la boîte donna un peu de mou. Amira se pencha et articula à mon oreille :

« Tu vois cette femme qui bouge bien, à gauche du pilier derrière les trois corniauds qui gesticulent ? Elle doit avoir une quarantaine d'années, facile. Et le gosse là-bas avec le tee-shirt vert et blanc, il la regarde depuis dix minutes avec son désir timide et ses mains crispées, alors que s'il lui en laissait l'occasion, elle lui ferait sept tresses et le raserait comme Dalila avec Samson, tu peux me croire. »

Mon oreille chauffait et je me sentais m'empourprer. Le parfum de cette fille ressemblait à du santal, et moi j'adore ça, le santal. Dans mon rêve dans le Montana, le garçon vacher à qui je servais des pommes sentait exactement la même odeur…

La femme dont elle me parlait était commune, mais elle dansait bien et avait un beau sourire. Dottie ne revenait pas du bar. Si on ne lui obéissait pas au doigt et à l'œil on était puni, donc elle avait dû quitter la boîte et rentrer chez elle.

« Ma mère était comme ça, très belle, poursuivit Amira. On avait très peu d'écart. J'ai détesté sa jeunesse. Pas parce que les garçons qui me plaisaient voulaient coucher avec elle, ça, je le trouvais normal. Je l'adorais, donc je comprenais que le monde entier l'adore avec moi. Ce que je n'ai pas supporté, jamais, c'est que cette proximité autorise les hommes qui la baisaient à vouloir en croquer avec moi. Plus je les repoussais, plus ma mère qui ne comprenait rien trouvait que décidément, j'avais pas hérité sa grâce. Tu parles ! »

En se redressant un peu elle tendit la main vers ma bouche et en caressa les lèvres avec son pouce, comme si mon rouge avait débordé et que ça l'offensait. Je saisis son poignet et y déposai un baiser, déclenchant sous sa peau un point de pulsation sur lequel je tins mes lèvres appuyées avec ferveur.

C'est à partir de ce point de pulsation que j'ai commencé à aimer cette femme scarifiée.

L'HEURE DITE

J'arrête à onze heures dix.

Depuis que je l'ai décidé, je suis presque soulagé. Des voitures flambent sur le parking, des voisins au quatrième s'éclairent à la bougie malgré deux incendies, le huitième étage suinte du sang d'un meurtre et le concierge communique par un œillet ouvert dans sa gorge. Bref, il est temps de partir. Ce matin en sortant j'ai attrapé ma sacoche sur la table du salon, et j'ai levé les yeux sur une araignée à la fenêtre. Sa broderie est magnifique. On dit «araignée du matin, chagrin», mais c'est l'arrivée du crachin qui la fait parader si tôt. Pour ceux qui n'aiment pas la pluie, c'est la seule mauvaise nouvelle qu'elle annonce. Le soir, elle prévoit du beau temps. Je m'en fiche maintenant, j'arrête à onze heures dix et je ne verrai pas bruiner le serin. Il y a rarement eu des pluies sur Toulouse en juin. Généralement à cette époque, les orages tournent autour des coteaux ou des tours d'immeubles et vont craquer plus loin dans les villages limitrophes.

La troisième fois qu'il a plu à cette période, j'habitais déjà à Ramonville et travaillais pour ma boîte depuis cinq ans. Les harcèlements avaient commencé, et aucun de mes voisins ou de mes proches ne se doutait de ce que j'étais en train de vivre. Je marchais des heures sur les bords du Canal du Midi pour suer mon calvaire et les anxiolytiques. Il me fallait un espace suffisant entre les deux mers, j'avais tellement à cracher. La première fois que j'ai voulu que tout cesse, Dieu m'a envoyé un signe. Pour moi seul. Du moins il me semblait être le seul à l'entendre. Le bruit sortait de sous mes pieds. Pas celui de la succion de mes pas sur la terre meuble. Pas celui-là, mais un autre encore plus bas, ni sourd, ni étouffé. Il ne surgissait pas d'une caverne, d'un souterrain ou d'un sous-sol. Il était clair et plaintif, et malgré sa faible émission profitait de la réverbération du son boulant sur les immeubles autour du port St Sauveur et des péniches. Les rares promeneurs se hâtaient, serrés dans des coupe-vent, rougis et décoiffés par le vent d'Autan, les paupières baissées pour se protéger des bourres de platanes et de peupliers blancs. Le mois de mai succédait à de longues semaines de pluie, mauvais et allergène sur tout le ruban d'eau entre Bordeaux et Sète.

Le bruit était une plainte.

J'étais surpris et saisi par la légère froidure, sans veste sur mes épaules, prêt à écourter ma promenade et à rentrer chez moi. J'ai tendu l'oreille et cherché son origine du regard. Je ne voyais rien mais ça provenait des péniches. Je me suis pressé dans sa direction et j'ai baissé les yeux sur un paquet noir et feu qui se débattait dans l'eau, griffait en vain le mur du quai pour se hisser, retombait de fatigue et piaulait pour retarder une mort ponctuelle et patiente.

Les résidents des péniches étaient absents ou se tenaient au chaud dans les ventres étanches.

Le mugissement du vent s'amplifiait contre les coques et personne parmi les occupants ne semblait entendre les gémissements du chien.

Je ne goûte pas aux joies de la baignade et ne me voyais pas sauter dans le canal. Je m'approchai du bord, et appelai l'animal qui refusa de se diriger vers ma main. Éconduit mais pas découragé, je le traitai de corniaud et descendis plus bas sur la rive où la pente était plus douce, glissai à plat ventre et attendis qu'il arrivât à ma hauteur.

Quelques minutes après, la bestiole se débattait toujours à contre-courant mais elle fut tout de même à ma portée. Je recommençai à l'appeler en tendant les deux bras, plus doucement cette fois-ci, et vis dans les yeux de l'animal qu'il n'avait d'autre choix que la confiance. En le sortant de l'eau, je réalisai qu'il avait de meilleures raisons de vouloir sauver sa peau que moi d'aimer la mienne.

J'aime bien onze heures dix.

Cet horaire m'a semblé évident quand j'ai dit stop. Il m'est venu à l'esprit, et très vite je l'ai répété comme un mantra. Je suis sensible au temps qui passe, et tout ce qui peut l'évoquer ou s'en servir me fascine. Par exemple, l'heure exacte instruit l'astrologue pour étudier un thème, le parfum L'Heure Bleue est évocateur de ce moment entre chien et loup et les femmes qui le portent ont sur elles l'odeur d'un crépuscule ; l'heure légale informe le médecin légiste, et donc onze heures dix sera mon heure.

Dix heures dix ce n'était pas possible, j'aurais manqué la pause et j'aime bien prendre un café avec l'équipe du troisième. Les gars de mon étage n'ont pas bien pris que je commence à descendre, et je n'exagérerais pas en affirmant qu'ils ont considéré à ce moment-là que je me désolidarisais du groupe en allant me détendre avec les autres. À ma décharge, ce n'est pas de ma faute si je m'entends mieux avec le service des informaticiens. Ce sont plutôt des beaufs à la maintenance, je n'arrive pas à m'intégrer. Cécile se moque de moi quand je lui en parle, avec cette phrase qui me fait mal, parfois au sang si je recommence à me ronger les ongles : «Aurélien, tu es un indécrottable autiste, c'est pour ça que tu as choisi le métier d'ingénieur ! »

C'est pour elle que j'ai accepté de vivre dans notre actuel appartement. Mon rêve était un peu différent avant notre rencontre.

Quand j'ai imaginé mon futur chez moi en sortant de la prison bourgeoise de ma mère, il m'a d'abord fallu renoncer à l'idée de vivre dans un arbre. Incompatible avec un trivial besoin de sécurité et de confort.

J'étais pourtant le Huck de Tom Sawyer, le compagnon de Robin des bois, la mère adoptive de Tarzan, le…, le…

Bref, j'ai déserté mon rêve arboricole.

J'ai rêvé ensuite d'un potager sauvage, d'un verger abandonné et d'un poulailler spontané de poules fugitives, qui m'éviteraient ainsi la fréquentation d'une ville. Mes besoins auraient été simples pour me passer de la corvée de la cuisine, que j'aurais voulue comme chez ces Aragonais isolés à flanc de montagne, avec une cheminée centrale pour la cuisson et le chauffage. La chambre vite meublée d'un vieux drap embossé de feuilles, et des plans pour produire de l'électricité avec une roue à aubes. Les coins d'hygiène et un salon bien sûr, avec un bureau et des étagères pour mon papier et mes livres. Enfin, une serrure et une clef. Une fois tout ceci achevé, j'aurais mis la clef dans mon sac et pris la route comme les héros de Kerouac, Bouvier ou London.

Mais rapidement, j'ai rencontré Cécile dans un pince-fesses d'entremetteuse et atterri dans cet appartement dont la hauteur promet d'impossibles évasions et me laisse soupirer après le sommet des arbres.

Je ne connais pas précisément mon emploi du temps de la semaine, pas même à l'avance. Avec mon portable de l'entreprise, je suis joignable et corvéable à tout moment. J'ai essayé une fois de l'éteindre pendant le week-end, juste pour nous consacrer du temps, à Cécile et à moi… Après la réunion du lundi, j'ai vomi leurs menaces dans le lavabo aux toilettes de mon étage et n'ai jamais recommencé. Est-ce par manque de cran ? La réponse m'est égale à présent. Tous les mois, la DRH promet de me licencier parce que les audits internes démontrent mon manque de productivité.

Je suis ingénieur, pas commercial, je ne sais pas rapporter des contrats…

Ça, ils s'en sont aperçu au dernier stage. Nous avons tous été inscrits d'office à un stage, et la semaine de vacances prévue avec ma femme, je l'ai passée à Châteauroux – autant dire à dache par rapport à Ramonville –, dans un manoir modernisé par un arriviste où se déroulaient ponctuellement des sessions d'*airsoft*. C'est comme le *paint-ball*, mais en pire. Au lieu de recevoir de la gélatine ou de la peinture, on se prenait des rafales de billes de plastique de 8 mm sorties de répliques d'armes de poing. Je n'ai pas voulu tirer sur un collègue. Je l'avais bien en joue, mais je me suis fait classer P3 au service militaire, ce n'est pas pour appuyer sur la gâchette dans le cadre de mon emploi. Et puis c'est contre mes principes. Bref, ces fumiers ont fait sauter ma prime de fin d'année sur ce motif. Je me suis renseigné la procédure est illégale, mais le pdg déjeune tous les trimestres avec un des inspecteurs du travail, vous parlez d'une blague !

Depuis le stage ils m'appellent Peanuts. Pas François, non, pas François. Lui, il m'aime bien… mais il ne prend pas ma défense quand les autres m'insultent. Il a cinq fils le pauvre, je le comprends… enfin, je crois.

Nous avons sympathisé lui et moi quelques semaines après mon embauche. Je ne m'intéressais pas à lui au début. Ce n'est pas quelqu'un de remarquable. Quand il est à sa place, vous pouvez énumérer le mobilier autour de lui, dire combien il y a de stylos dans son pot à crayons ou même préciser s'il écrit sur un sous-main en cuir marocain véritable, mais je mets quiconque au défi de décrire ses vêtements du jour ou se rappeler la couleur de ses yeux en sortant de son bureau. Après une réunion du lundi, je suis entré dans une des toilettes qu'il avait oublié de verrouiller. Le couvercle était rabattu en manière de tabouret et il se défoulait avec du fil et une aiguille sur des bouts de tissu. Il m'a regardé avec un pauvre sourire et depuis il y a une complicité entre nous.

Je n'arrive pas à partir de cette boîte. Pas seulement à cause de mes crédits. Je n'ai pas le temps en fait. Je rentre toujours plus tard et au bureau ces mafieux nous ont mis un

mouchard. Ils payent un stagiaire pour sur-
veiller nos surfs sur Internet. Je sais qu'ils
lisent nos e-mails. Ils n'ont pas le droit mais
qui va se plaindre? Ils font ce qu'ils veulent. J'y suis depuis cinq ans, et les piles de
candidatures chez le directeur sont dissua-
sives. Et si toutefois je décroche un entretien, quel discours vais-je tenir au chasseur
de tête? «Bonjour, je quitte ma boîte parce
que c'est une maquerelle comme la vôtre :
nous y vendons notre âme et vous baisez nos
squelettes!»

Les cinq années passées ici, il faut bien que
je les signale dans mon CV pour ne pas faire
de trou, et mon patron sera contacté alors…

Cécile ne gagne pas assez pour que je démis-
sionne. Avec un salaire nous ne pourrons pas
tenir. Je ne trouvais pas d'issue jusqu'à hier
lundi, mais pendant leur réunion à la con
au dixième, j'étais hypnotisé par la fenêtre.
Il y avait sur son bord inférieur la mention
n'ouvrir les issues qu'en cas d'extrême urgence
et c'était plus fort que moi, je n'arrêtais pas
de me dire que nom de Dieu, j'en étais un
sacré, de cas d'urgence. Ils ont dit pendant

la réunion qu'ils allaient me mettre dans un nouveau bureau. C'est au 7B, au sous-sol. Il n'y a pas de fenêtre et juste un néon au plafond. Je n'irai pas, je n'ai rien à me reprocher, ils n'ont pas le droit de me punir. Ils veulent que je pète un câble et que ce soit moi qui parte, mais je ne cèderai pas. Ils m'obligent à saisir des rapports au kilomètre depuis trois mois, et je dois vérifier les stocks de fournitures ou des conneries de ce genre. Après ils me réservent toutes les astreintes de nuit et du week-end. Le téléphone sonne n'importe quand, les machines tombent en panne à tout moment et il faut y aller sur le champ. Depuis jeudi je suis même de corvée de chiottes.

Dix heures vingt.

La pause était presque agréable aujourd'hui : François m'y a rejoint pour la première fois. Les autres n'ont pas dû apprécier : c'est le deuxième pantin qui descend au troisième étage pour boire son café. Dans cette entreprise on peut appeler ça un début d'insurrection. Tout le monde va finir par le savoir qu'on travaille dans le pire service de la boîte.

Onze heures quatre.

J'ai quitté le sous-sol. Je souris comme un benêt, l'ascenseur monte à l'étage de mon service. J'éprouve la même sensation que dans les œufs à Valfréjus pendant les vacances de ski en quatre-vingt-treize : je me situe très exactement au-dessus des contingences et sous le ventricule gauche de mon cœur de peureux mais je me sens bien, et même très bien.

J'ai enlevé ma cravate.

Il y a une odeur d'encens plutôt agréable quand les portes s'ouvrent. Je crois que c'est le parfum d'une des stagiaires. Le même qui flottait dans l'église que je fréquentais avec mes parents. Les participants étaient recueillis pendant les sermons, et j'étais un enfant au visage pâle et grave qui reniflait à côté de sa mère. Parfois, un cercle virait au bleu sur mon flanc gauche. La chemise copieusement amidonnée par ma Nanny dissimulait mon secret. Elle en avait du chagrin et m'embrassait en la boutonnant. Maman pour cette occasion portait toujours un tailleur gris perle. Quelques travées étaient invariablement vides. Plus loin sur la droite, un vieillard était assis et soulageait sa jambe en posant le talon sur un repose-pied improvisé au moyen de châles. Tous les fidèles étaient en habits du dimanche, excepté le clochard de l'entrée qui ronflait avachi sur son cul. Le même que dans toutes les églises, dans la même position.

Je me mouchais et respirais à plein nez les résines parfumées et me disais qu'il n'y a que Dieu pour lâcher des pets qui sentent bon. Je le pense encore aujourd'hui.

Le couloir de mon service est long, ses murs gris, et le carrelage imite un parquet. Je marche droit devant, à la même vitesse que sur le Canal, et je pense à mon père : il fait des projets, parle de finir sa retraite au Maroc ou en Irlande. Il est motivé et ne paraît pas son âge « les jeunes de soixante ans sont encore des petits cons ». Il marche deux heures chaque matin avec ce chien galeux dont il n'est pas le maître et envisage de progresser vers un footing quotidien, dix minutes d'abord puis rapidement plus, il a tellement d'énergie à revendre. Il lit pour les personnes âgées, catégorie dont il s'exclut par sa forme insolente, donne quelques cours de théâtre à une poignée d'adolescents, et songe à ouvrir son blog sur Internet (peu importe s'il ne sait pas ce que c'est, ses enfants ont l'air d'adorer cette pratique). Je viens d'ailleurs de lui offrir un portable.

Il est tellement préparé pour la suite. Il ne l'attend pas, mais il sait ce qu'elle est car il a lu tous les livres de théologie, suivi tant d'émissions sur le sujet. Nonobstant ses convictions, l'essentiel est de ne pas en avoir peur. Enfin il ne sait pas. La priorité est peut-être de ne plus s'endormir, c'est tellement de temps perdu. Qu'il est agaçant, j'imagine, de s'assoupir comme un misérable vieux devant la télé ou après les repas quand les autres sont occupés à vivre.

Il y a quelques semaines, il a appris tardivement la mort de son ami d'enfance ; ils avaient deux mois d'écart. Je crois qu'il a pensé immédiatement à sa sobriété, à son écono-mie, à ses petites dépenses et ses modestes péchés, alors que lui-même était le pendard, le soiffard et le jouisseur. Depuis la nouvelle, il a retourné le sablier.

Combien de temps encore pour lui ? Je sais qu'il ne fait plus de lecture ni de mise en scène. Ses marches sont moins régulières et ses assoupissements plus longs. Ses proches ne l'entendent plus réciter la liste de ses souhaits et il se sent vaguement épuisé. Il ne sait pas, nous ne savons jamais. Pourtant je m'habitue à l'idée de son absence. Je me suis fait à son départ qui est proche, et depuis hier c'est presque pour moi sans intérêt. Parce que c'est vrai, je vais le précéder. Je suis comme les insectes qui sentent le cyclone plusieurs jours à l'avance. Papa riait, quand j'étais enfant, de l'importance que j'accordais à mon odorat. Je reniflais une cuillerée avant de la porter à ma bouche, je me servais un verre après avoir collé la bouteille sous mon nez, et je refusais d'embrasser certains de ses amis que j'élisais à l'odeur.

Ces derniers temps, mon père pue la mort. Sans prendre de ses nouvelles et à distance je sens la lumière baisser, l'espace étrécir autour de lui. Je le vois amoindri quand j'évoque son souvenir mais je n'entendrai pas l'appel de mon frère qui m'aurait confirmé certainement dans l'année ce que j'aurais su déjà. D'ici là j'aurais pu venir le saluer. Il m'aurait trouvé peu chaleureux et je n'aurais pas voulu lui dire que je m'endurcis pour anticiper sa disparition, car le chemin qui lui reste est un raccourci qu'il n'est pas certain d'emprunter, alors que je suis déjà à l'autre bout. Je n'aurai pas le temps de le pleurer.

J'ai ouvert la porte et pénétré de quelques pas dans la pièce.

Ils sont tous là.

J'ai du coton dans les oreilles et les muscles des jambes laminés. J'avance sur des ciseaux ouverts. Je ne connais plus ces gens : ils sifflent la mélodie du bonheur en entreprise alors que moi je chante faux. Je n'ai jamais su.

Onze heures dix.

François crie « fais pas l'con » ; ou « me laisse pas ». Je ne sais pas, je n'entends rien.

La fenêtre est facile à ouvrir et je n'ai aucun mal non plus pour la refermer dans le même élan. Je ne suis pas certain de ce que je fais mais il me semble que je me ravise, que je renonce à me tuer ou à vouloir que tout s'arrête. En tout cas une chose est sûre : tout doit cesser et j'ai peut-être la force d'être à l'heure de mon prochain rendez-vous. François toi tu rigoles, vous tous vous me mettez de grandes claques dans le dos et le patron remue les lèvres en fixant mes yeux, on dirait même qu'il veut me promettre quelque chose d'agréable ou en tout cas, son regard semble me dire ça mais c'est bon les gars, c'est fini. L'araignée ce matin me disait quelque chose que je viens de comprendre : ma toile, je vais la déchirer et en tisser une toute neuve ailleurs, et vous savez pourquoi ? Parce que la stagiaire, son parfum, eh bien je l'ai reconnu : elle porte L'Heure Bleue de Guerlain.

ET LE JEUDI NON PLUS

Le souffle du vent d'Autan assourdit la ville de G. depuis trois jours, et Madame Amaury n'entend plus les voix de la foule qui montent habituellement à son étage : le cri de l'enfant enthousiaste, l'ordre qui le rappelle sur le bord d'un trottoir, l'insulte de l'automobiliste en danseuse sur le frein, et tout le brouhaha familier des voix anonymes. En bas de l'immeuble s'agitent un point, une laisse et son chien, des petits points jaillissent d'une école et deux poings se ferment sous le nez d'un voisin. Au bord de sa fenêtre un mimosa en prière – que peut-il faire d'autre dans un vase ? – ouvre ses billes comme une nuée de soleils minuscules naissant au lever d'une bande de brume.

Depuis un certain temps, madame Amaury n'est plus ralentie par le souvenir de son défunt mari. Ses gestes sont redevenus rapides et son pas est de nouveau plus alerte. Elle le fait d'ailleurs claquer en secouant ses cheveux fraîchement coupés au carré. Même les draps qu'elle a longtemps tardé à remplacer par un jeu propre – trop lourds pour sa mélancolie –, elle les change à nouveau mais avec un regret tout neuf, celui de perdre pour quelques jours dans leurs plis le regain de son désir avec l'odeur d'un de ses nouveaux amants.

Elle achètera si elle y pense du pain chez Malabat. Sa baguette est moins blanche, moins parisienne que chez Mendez, mais elle n'a pas le choix car le jeudi ce dernier est fermé, et c'est le seul jour de la semaine où elle sort de chez elle. Elle habite au dixième étage de son immeuble, perchée comme dans un nid de pies sur les branches les plus hautes et les plus fines de peupliers semblables à ceux admirés lors d'anciennes vacances en Toscane, et elle mange du pain de moyenne qualité parce qu'elle ne sait pas faire autrement. Son appartement est dissimulé à la vue par la grâce de vieilles courtines d'un ancien lit – elle est piètre couturière et les rideaux sont un luxe. Ses amants, souvent des promeneurs, viennent dans son quartier en suivant le sud-ouest avec modération pour ne pas se retrouver sur le chemin de Montpellier. Il faut vraiment aimer la marche car le métro a son terminus plus bas que la ville, et les fumeurs, les vieilles gens ou des personnes en manque d'entraînement se retrouvent vite avec le souffle court pendant ce long trajet. De toute façon, elle accepte peu de visites. C'est ainsi qu'elle a choisi d'habiter dans ce logement au début de son veuvage.

Quand les portes de l'ascenseur s'ouvrent à son retour, elle en franchit machinalement le palier et appuie mécaniquement sur le bouton de son étage. L'ascenseur glisse dans un bruit de vent qui s'engouffre et c'est à ce moment qu'elle lève les yeux sur le grand type qui s'y trouve.

Le grand type qui s'y trouve est mort.

Madame Amaury ne sort que le jeudi. Deux ou trois hasards qui sont devenus des habitudes. En cumulant avec d'autres habitudes, elle est parvenue à avoir un mode de vie en harmonie avec ce rituel. Elle part de très bonne heure, quand les voisins s'éveillent à peine ou débarbouillent leurs enfants, et elle a le trajet pour elle seule ou quasiment. Un besoin de faire l'éloge du non-évènement, de la non-rencontre. De mettre un pied devant l'autre sur le linéaire, le pendulaire, l'aller-retour sans transformation, le « partir-revenir » sans risque, le « dedans-dehors » sans aléas, voilà ce qui la motive. Cet état méditatif exclut la rupture de temps ou l'émotion. L'action et le dialogue peuvent engendrer la tragédie, or conserver le bonheur tranquille est la seule ambition à sa mesure.

On pourrait objecter qu'elle collecte parfois des hommes sur ses trajets et qu'elle les enfouit au centre de son lit, au centre de son ventre, et donc peut-être au centre de son affection, mais il est en fait inutile voire injuste de les utiliser dans une démonstration qui voudrait prouver le contraire, à savoir qu'elle serait une femme avide de surprises et de sensations, puisque aucun d'entre eux n'est ressorti de son appartement. Ou plutôt : on les a vus entrer chez Madame Amaury, à la cadence d'un promeneur par mois, mais personne de ses voisins ne pourrait raconter en avoir vu un seul ressortir, à quelle heure et dans quelles dispositions.

Le mort de l'ascenseur est rassurant : pas d'interaction, que ce soit par le regard, le toucher ou bien la parole, donc cette rencontre ne changera rien au cours de son existence.

Pourtant ce jour avait senti jusqu'à présent la promesse calendaire du repos qui approche, mais il a désormais l'odeur de ce grand monsieur en face d'elle, aussi se demande-t-elle si elle pourra tout de même continuer son rituel avec la même tranquillité.

Il se tient debout, ou plus exactement « est posé debout », la tête inclinée en arrière sur la glace avec le haut du buste. L'ascenseur vibre et pourtant le mort ne s'affaisse pas.

Est-ce qu'un mort sent immédiatement ? Est-ce qu'une odeur de viande légèrement tournée et déjà incommodante, si elle était présente, signifierait qu'il est passé de vie à trépas plus tôt dans la journée, ou vient-il par exemple de faire une crise cardiaque à l'instant? Pour Monsieur Amaury le décès avait été déclaré six mois après l'explosion de son avion entre deux jours du mois de janvier, elle n'avait donc pas pu expérimenter ce savoir loin du corps perdu. De son vivant il sentait le mimosa – sa fleur préférée – qu'elle met à présent dans un vase bleu au bord de la fenêtre du salon chaque année à la date mémorielle.

Le mort de l'ascenseur s'était parfumé. Peut-être même avant de monter, car l'odeur est encore prégnante : un mélange de santal, de cèdre et de réglisse. Il est sans doute un peu tôt finalement pour repérer les premiers effluves pestilentiels. Un livre dépasse légèrement de la poche gauche sous la veste qui protège sa chemise. Madame Amaury se penche pour déchiffrer le titre – un lecteur assidu a toujours ce réflexe impudique et souvent, selon l'auteur déchiffré, l'autre sera-t-il jugé digne d'intérêt ou laissé dans sa médiocrité. Celui-là avait emporté avec lui une longue nouvelle de Marie Chartres.

Est-ce que des choix de lecture expliquent ou racontent un lecteur ?

Il faut passer les neuf étages qui précèdent son palier sans que l'ascenseur ne s'ouvre. C'est ce qu'elle espère à chaque jeudi qui la voit sortir, mais aujourd'hui un voisin au visage horrifié à l'ouverture des portes, une personne paniquée appelant un numéro d'urgence sur son portable, ce serait le summum de la vulgarité s'invitant à rompre le charme de son moment intime et secret en compagnie de l'extraordinaire. Ce pragmatisme du réel gâcherait la communion de ce silence, intense parce qu'abrégée dans la vitesse relative de l'appareil qui les tracte elle et lui sur une distance finalement assez courte. Elle regarde la trappe du fond derrière ses longues jambes. C'est par là qu'on transporte les cercueils. Lui est immense, au moins un mètre quatre-vingt-dix ; elle n'est pas sûre qu'il rentrerait.

Il est bien habillé, d'une chemise à rayures fines et d'un pantalon de bonne facture au pli impeccable. Une discipline qu'elle affectionne chez les vivants. Au moins, trouvé dans un autre lieu à un autre moment, il ne se ferait pas surprendre dans une tenue dérisoire. Cela lui rappelle qu'elle doit arrêter de dormir dans des pyjamas abimés, car quand la mort viendra pour elle, ce sera qui sait pour la surprendre en plein sommeil, et bien fait si alors on trouve son corps dans des vêtements négligés. Sa grand-mère l'a assez mise en garde à ce sujet. Promis, jeudi prochain, elle achète une tenue de nuit neuve dans une boutique appropriée et discrète.

Ah ben non, pas un jeudi.

Le mort n'habite sans doute pas dans l'immeuble, elle ne l'a jamais vu.

De chez qui était-il sorti ? Peut-on mourir dans un ascenseur ? Est-ce qu'on a faim quand on est mort ?

Madame Amaury n'est pas oppressée par son angoisse habituelle et ça la surprend. Quel âge a-t-il ? Peut-être la soixantaine : quelques boucles grises reculent sur le haut de son front élargi et des lèvres minces aux petites peaux taquinées sortent de sa moustache. Ses paupières en revanche sont bien sûr closes, mais peut-être – espère-t-elle bêtement, qu'elles s'ouvraient de son vivant sur des iris mauves comme les fleurs du même nom qu'on aperçoit brièvement depuis sa voiture dans les parterres devant les maisons de bord de route.

Est-ce que la perte de cet homme va peiner quelqu'un ?

L'ascenseur glisse à présent avec le bruit d'une aiguillée de soie tirée au travers d'une étoffe. La porte de son étage va s'ouvrir. Il faudra bientôt en sortir et donner l'alerte depuis son domicile. Est-ce qu'elle a une tête à l'avoir tué ? C'est une question qui sera posée tout à l'heure. Et d'ailleurs, est-ce que le cœur de cet homme a vraiment cessé de battre ? La veuve le tâte du bout des doigts.

Bien sûr il lui semble qu'il est déjà plus tiède, moins chaud qu'un corps vivant, mais la sensation n'est peut-être pas objective. Le dernier froid qu'elle a touché c'était ce matin en posant la main sur un creux attiédi dans l'oreiller, à côté de son visage.

Son amant l'avait pourtant clairement désirée la veille au soir, et dès le restaurant japonais il avait pris ses cheveux, ses pieds et ses mains en attendant de la posséder tout entière, mais il a discrètement pris congé avant qu'elle ne se réveille. Elle ne sait pas se positionner, hormis sur le désir vertical d'ombres toujours blondes qui la fuient pendant qu'elle dort encore.

Elle se confirme que l'homme commence à refroidir parce qu'il est toujours tiède, mais sensiblement de moins en moins. Il doit maintenant avoir la même température qu'une femme nullipare ou entre deux grossesses, trente-six virgule quatre, trente-six virgule sept peut-être. Une femme qui a plus de trente-sept degrés pendant quinze jours d'affilée est probablement enceinte. Elle prend conscience à ce moment précis qu'ils font donc la même température, mais celle du défunt va encore baisser, et rapidement. Elle souhaite que la sienne au contraire grimpe et se stabilise au moins une fois pendant deux maudites semaines, rien qu'une putain de fois, mais ça n'arrivera jamais.

Il a été difficile de tirer ce grand corps jusqu'à son canapé, mais elle n'aurait pas pu le mettre dans le lit où elle dort et fait l'amour depuis la disparition d'André.

Elle fait également l'amour dans le canapé.

Doit-elle coucher le type par terre ? Elle veut dire, sur une surface où elle n'a pas exulté ?

Il restera dans le canapé car elle a mal au dos, et pour la parcelle vide de célébration à la vie, elle n'est pas sûre de la trouver dans son soixante mètres carrés. Il est temps d'appeler les secours mais il y a une trace rouge à son cou. On n'a pas pu l'étrangler et l'abandonner dans la cabine de l'ascenseur au risque des voisins, on n'a pas pu frapper à la gorge un homme qui lit du Marie Chartres, et on n'a pas pu l'étouffer de plaisir dans un jeu sexuel pour ensuite l'abandonner comme un chien.

À moins que lever ses mains, les poser autour de son cou, serrer assez fort son âme pour la faire rougir de honte entre ses pognes, lui faire rendre gorge dans cette étreinte létale, tout cela a-t-il pu délivrer quelqu'un de la colère de vivre sa vie ici et maintenant ? Elle n'a jamais essayé, mais c'est peut-être une sensation agréable.

Petite, elle avait pris des cours de violoncelle, et la force rapidement acquise dans ses menottes avec des heures de montée et de descente de gammes chromatiques lui avait valu le surnom d'étrangleuse. Elle avait perdu force et sobriquet en abandonnant l'instrument quelques années plus tard.

C'est bien sûr autre chose qui l'a tué, mais si c'était elle qu'on venait accuser ? Elle s'approche et se penche : la trace rouge est un angiome, une tache de vin. Le premier étranglement de son cou par les chairs serrées d'une femme dans le passage de sa naissance ? C'est ce qu'elle dira à la police s'il y a une enquête.

Non, il y aura une autopsie à la morgue pour déterminer la cause de son décès, et "De mort naturelle" sera mentionné dans la conclusion du rapport, parce que c'est la thèse la plus logique à retenir.

Les inconnus qu'elle ramassait habituellement sur le chemin du Canal pénétraient un
peu vite dans sa maison et un peu brutalement
dans son sexe. Les inconnus qu'elle ramassait
habituellement vidaient quelques verres au
fond de leur estomac, puis quelques humeurs
au fond de son ventre. Les inconnus qu'elle
ramassait habituellement prenaient une fois
du plat principal, une fois de sa langue et de
sa chatte, puis la porte une fois pour toutes.

L'impuissant qu'elle traîne en s'essoufflant
lui semble au contraire familier. Il ressemble
à un de ses anciens professeurs de collège, ou
bien à un ami de son défunt mari, ou encore
à un soupirant éconduit à l'âge où elle met-
tait des mandarines sous son linge de corps,
elle ne sait plus très bien mais ça n'a aucune
importance.

Tant qu'il gît entre ses murs, Madame
Amaury voudrait lui donner un prénom, un
pseudonyme ou pourquoi pas quelque chose
de l'ordre du sobriquet. C'est inconfortable
de le considérer comme une masse inerte,
réductible au statut de simple objet, ou Dieu

sait quoi d'inanimé, de non-respectable, qui ne pourrait être sacralisé que par la valeur qu'elle lui accorderait et non par essence. C'est un être humain et le nommer peut… quoi, elle n'en sait rien. Il lui semble qu'Arthur pourrait lui aller, parce qu'il lui fait penser à un Breton avec sa tête large et carrée, sa peau claire, ses pommettes hautes et ses yeux distancés.

Elle n'a pas eu une telle sollicitude envers son mari quand il est mort. En tout cas une visite furtive à l'église, un vieux polo rayé rose et noir conservé dans son armoire et une photo de lui dans la petite poche à ferme-ture Éclair de son sac à main ne sont pas des marques assez significatives songe-t-elle.

« Qui étais-tu, Arthur ? Un tâte-poule épa-noui, un as du soufflé aux épinards ? Est-ce que tu lessivais ton linge au bicarbonate pour mieux le blanchir ? Ou bien alors tu avais un emploi : je te vois bien là, dans une grande entreprise, idémiste et nuque baissée, acquiesçant avec le groupe en levant le doigt comme un fayot. »

Le cadavre pèse à présent du poids de son silence, provoquant un mouvement d'humeur chez la veuve :

«Bouh t'es pas causant quand même, tu pourrais répondre quand on te parle ; mal élevé va !» Elle se trouve plutôt drôle et éclate d'un rire suraigu.

Un soleil timide se hisse entre les branches d'un peuplier et introduit deux rais de lumière, épais chacun de la largeur d'une main. L'un des deux est d'ailleurs à hauteur des yeux de la femme. La poussière y tourbillonne, une foule anarchique de particules en suspension dans les limites de l'espace lumineux et pourtant morne. Elle plisse les yeux en posant horizontalement une paume ouverte sur son front puis baisse le regard sur le corps avec un froncement de sourcils : «Je vais descendre le volet parce que le soleil t'éclaire, là. C'est trop violent, c'est même à la limite du pornographique. Et puis ta chair étalée comme ça, devant moi, offerte sous la lumière, ça commence à me souler.» Elle empoigne la manivelle et la tourne fébrilement pour dérouler le volet, le visage tourné vers le mort afin de mesurer les effets de son action. «Tiens regarde, voilà: ton visage tamisé est plus noble maintenant. Enfin «noble»; c'est pas ça que je voulais dire mais bon, tu m'as comprise.»

Elle laisse reposer la manivelle tout doucement contre le mur en regardant cette fois-ci ce qu'elle fait, et s'approche à nouveau de «Arthur» sans le quitter des yeux mais avec un trouble furtif dans le regard – des images, des souvenirs? Elle se ressaisit aussitôt et s'agenouille devant lui à le toucher, les genoux contre son flanc gauche. Les rayons du soleil chauffent le sol mais ne réchauffent pas le cadavre. Elle se penche en retenant à pleines mains les mèches coulant du carré vers son front. D'abord posées à plat au sommet de son crâne, elle les fait glisser ensuite en plaquant les mèches au-dessus de l'ourlet de ses oreilles, et y garde les paumes appuyées pour les maintenir. Sa voix est devenue grave, douce, chuchotante: «Je ne sais pas pourquoi je vous tutoie, Arthur. Pardonnez mon manque de respect, je vais tâcher d'être vigilante.»

Madame Amaury avait longtemps dit «on» pour parler d'elle et de feu son mari, pour citer ce qu'ils disaient, pour évoquer ce qu'ils aimaient, pour relater ce qu'ils faisaient:

«On est allés au cinéma»; «On n'a pas apprécié que les Gauthier votent à gauche»; «On aimerait bien avoir des enfants»; «On a été déçus donc on n'y mettra plus un centime».

Elle énonçait leur couple avec toute la neutralité de ce pronom, et l'attaque dans le fond de sa gorge claquait sur le digramme en le prononçant comme un crachat méprisant qui échapperait à sa conscience. Ils étaient dans sa voix une entité rendue anonyme par ce phonème et un lien nié dans ce qu'il pouvait être constitué de souffle, de chair, de larmes, de salive. En résumé, triviale ou originale, leur relation exista aux oreilles des gens qui les fréquentèrent par le seul lien du mariage, quand bien entendu ils disaient «Monsieur et Madame Amaury» pour parler dans leur dos – personne n'avait jamais pensé à utiliser leurs prénoms.

Après avoir rangé son certificat de décès dans une boîte à archives titrée « mille neuf cent quatre-vingt-dix-huit » au Bic Marker noir, elle avait glissé brutalement vers la première personne du pluriel :

« Nous étions très proches » ; « Nous ne nous disputions jamais » ; Nous adorions les chats et n'en possédions pas moins de quatre, trois femelles et un mâle » ; « Nous étions passés à côté de la vente du presbytère à rénover de Saint Antonin Nobleval et l'avions toujours regretté ».

Elle s'était ainsi nouée à lui machinalement par la parole – d'un coup et sans doute sincèrement, après avoir archivé leurs anciens dossiers.

Bien sûr qu'elle s'était déjà nouée à lui par le passé, au moins avec les jambes autour de ses reins, une première fois, puis d'autres, puis distraitement, puis en calculant, mais jamais le plaisir ne s'était mêlé de les faire se rejoindre, et jamais un enfant ne s'était arrimé en bourgeon dans la yourte à peau si neuve de son ventre. Si elle avait douloureusement vécu l'absence de plaisir et de grossesse, elle ressentait au contraire sereinement l'absence actuelle de Monsieur Amaury, et c'est à cette sérénité qu'était due son affection posthume, ce récent pronom personnel complice et liant.

Le vouvoiement qu'elle emploie d'abord avec maladresse lui fait faire des moues proches du baiser, et elle se retient pour ne pas rire quand dans le même temps elle se penche sur le corps, s'agenouille et retire brutalement sa main avec une grimace juste après l'avoir posée machinalement sur le front du mort.

«Vous êtes bien chez moi Arthur?»; «Je vais vous couvrir avec un plaid, ce sera plus décent.»; «Vous gardez un je ne sais quoi de sympa dans la mort, vous deviez être séduisant de votre vivant.»

Cinq bougies en étoile animent le salon et une odeur de benjoin brûlé invite à faire abstraction des bruits de l'immeuble en émoi, agité d'allers et retours entre le sixième étage et une auto immobile sur une aire de stationnement réservée aux visiteurs. Garée en épi, c'est une voiture bleu marine de marque allemande, un modèle récent avec un pare-chocs abîmé et le rétroviseur gauche hors d'usage. Un prospectus pour un vide-grenier prochain dans l'agglomération est fiché sous un des essuie-glaces, et une médaille de St-Christophe est enroulée autour de son rétroviseur. Un couple dont le monsieur se tord les mains attend visiblement quelque chose en trépignant, la femme semble décrire on ne sait quoi en suppliant dans son portable et des voisins autour commentent et fument des cigarettes en interpellant de temps à autres leurs enfants qui en profitent pour se battre et lancer des cailloux.

Dans son pentacle odorant, Madame Amaury prie fiévreusement sur le parquet, le front posé sur le bord du canapé où le mort est étendu. Sans la femme en prières, il pourrait évoquer un anagnoste que le sommeil aura gagné avant qu'il ne tire un livre de sa poche.

C'est un mardi qui est finalement arrivé avec suffisamment de silence pour l'attirer dans la majesté de son matin cru au souffle tiède et aux lumières filtrées. Sur la sente qui borde le Canal du Midi, Madame Amaury suit le pas d'une écrevisse. Ses poches sont parfumées de la menthe fraîche qu'elle a ramassée. Elle serre les poings de plaisir en passant sous des figuiers un peu trop verts. Elle respire par ce poumon de la ville les derniers messages d'une eau tard endormie après l'orage de la nuit. Elle hésite à prendre des nouvelles aux entrées des péniches, mais elle a donné des siennes au cèdre du Liban, les lèvres collées à son écorce : « Jeudi dernier j'ai pris grand soin d'Arthur. »

Toulouse l'appelle, mais en traversant le pont de l'écluse elle fait la sourde oreille, et à présent qu'elle est loin de Port Sud, elle voudrait perdre ses clefs.

LE PARAPLUIE ROUGE

J'ai atterri dans un mauvais café après avoir roulé des cigarettes et des pelles, ainsi qu'une avocate maternante qui m'avait offert le gîte et le couvert dans un coin de la France où les toits sont vernissés et multicolores, et les bocages encore habilement en amitié avec les bosquets. La distraction qui m'occupait quand on s'est rencontrées l'avait apitoyée, et pourtant il me semblerait encore aujourd'hui, si j'avais de l'indulgence pour mon passé au point d'y jeter ponctuellement un coup d'œil, que j'imitais très bien la démarche des gens dans la rue, et la sienne particulièrement, quand elle serrait son porte-documents contre sa hanche en remontant l'anse de son sac à main sur son épaule, puis qu'elle ajustait le col de son manteau par-dessus. Il lui a fallu trois mois pour comprendre que j'avais en fait l'ouïe fine. J'ai donc arrêté de lui parler avec les mains et sauté depuis l'oriel de sa chambre d'amis en lui laissant ma brosse à dents. Dommage, je me plaisais bien en sourde. Parler sans ouvrir la bouche, ce n'est pas un confort de timide : c'est le langage des entendants qui croyaient n'avoir plus rien à dire.

Dans mon dos, la porte du café grince avec des intervalles assez espacés. Les consommateurs choisissent rapidement leurs places, commandent avec des voix blanches et font semblant d'être occupés. Le comptoir devant mes yeux laisse voir entre les stations plus ou moins longues des habitués une panière de croissants. Le patron la remplacera en fin de matinée par une corbeille d'oranges. À sa droite, des coquetiers en métal torsadé portent des œufs pondus du jour (c'est écrit à la main sur la pancarte avec une faute d'accord à « pondu »). Les percolateurs viennent d'être astiqués, mais le lino, les plinthes, les interrupteurs et les murs sont encore très sales.

Ceux qui ont un rendez-vous surveillent la rue depuis trois fenêtres alignées en fixant toujours le même point au loin sur la ligne d'horizon, et ne voient donc pas les trous sur les rideaux fanés qui les encadrent.

Moi je les vois et je n'attends personne.

Je ronchonne en repoussant un thé imbuvable – les cafés ne servent que du Lipton Yellow –, et je racle le fond de mon paquet de tabac en coinçant bien sûr de la poudre sous mes ongles, ce qui a particulièrement le don de m'énerver.

Le patron est sûrement un fan de Boris Vian, parce qu'il essaye d'attraper des poissons rouges et des guppys dans son évier à l'aide d'un fil à plomb noué sur une badine – et probablement de la mie de pain mais je n'en suis pas sûre, je ne vois pas bien avec quoi il appâte depuis ma banquette.

Je fume rapidement à l'angle du café. La pluie, bruyante, vulgaire et glacée, tombe depuis un quart d'heure avec brutalité. Je garde les pieds au sec dans un carré à l'abri des gouttes. La rue dans ces rideaux qui frappent ressemble à un dimanche où l'on aurait oublié d'éteindre les enseignes au front des boutiques. On voit des halos flous et quelques silhouettes en attente sous des porches, et des essuie-glaces comme des métronomes disciplinent le rythme de l'averse et dégagent l'eau devant des conducteurs fatigués. Les voitures garées ou au ralenti résonnent ensemble du même bruit incessant, et cette berceuse me rappelle l'époque où j'avais un *sweet home*, avec un cellier, deux balcons pétés de géraniums et de nombreux chats nourris comme moi à la fortune du pot et sur les maigres euros que je glanais en disant parfois la bonne aventure dans le bar d'un copain, juste avant que le crabe ne l'emporte. C'était dans un village perdu du Morbihan, où comme chacun sait il fait beau plusieurs fois par jour.

J'écrase mon mégot dans un bac ensablé et m'engouffre à nouveau dans la salle pour rejoindre ma place.

C'est à ce moment que je l'aperçois : une femme est assise sur ma chaise et je la comprends de la croire disponible, puisque le patron a débarrassé ma tasse encore pleine du thé refroidi.

C'est une vieille tordue comme un clou mal frappé. Des tissus rapiécés la recouvrent dans un style qui montre son manque d'intérêt pour le soin et l'apprêt, l'ovale de son visage a fondu dans son cou et des sillons la parcheminent profondément, mais son regard nom de Dieu, *son regard est mauve*, et son sourire tape dans ma cuirasse et réchauffe tout ce qui en moi avait gelé depuis la mort de mon fils.

Le café – avec les corps restés en attendant la fin de l'averse et ceux qui entrent pour sécher le dos des manteaux – devient oppressant. La chaleur est épaisse autour de mon nez et de ma gorge, et quand je l'avale avec mon inspiration, elle investit douloureusement mon ventre. Il me faut un verre pour ne pas penser qu'elle m'étouffe comme celle du printemps où j'ai jeté une rose et les luminaires de ma joie de femme allaitante sur une boîte minuscule et absurde.

Je fouille rapidement dans la poche arrière de mon jean et ne pioche que soixante-quinze centimes. J'ai soif bon sang ! J'ai soif et je veux me noyer dans les yeux de l'aïeule.

Depuis tout à l'heure, elle tient régulière-ment son regard plongé sur ses mains pen-dant une ou deux grandes minutes, pas plus, et quand un mouvement dans le café lui fait lever les yeux – par exemple un qui se lève et traverse l'espace d'un pas serré pour aller uriner, ou le bruit de la pluie qui change dans une rafale de vent –, c'est toujours entre les silhouettes assises en rang sur les banquettes ou debout au comptoir (des manteaux occu-pent les tabourets, déployés pour mieux sécher) qu'elle s'applique à regarder.

Est-ce qu'elle aussi voit les accrocs dans les rideaux et n'attend personne ?

Elle ne scrute pas comme les gens de cette ville. Ici on dévisage, déshabille, juge et fusille à tous les angles, aux courses, à table, en chemin pour poster un courrier, dans le vieux kiosque sur la place du marché et sur le chemin du chat qui a survécu au décès de ses deux maîtres dans l'accident sur la route de César. On écarquille des yeux de mouton et pousse dans le dos avec l'intensité du regard la pucelle vers le vieux con. Tout se mate et s'évalue d'un coup d'œil bref et définitif. Les rumeurs coiffent et les humeurs couchent celui-ci avec la mariée à celui-là si sa famille ne vous a pas invité au vin d'honneur au début de la noce. Au milieu des tirs croisés, la grand-mère – il me plaît à croire qu'elle a une lignée et par une fille de préférence – paraît faire une pause après s'être baguenaudée, inconsciente et chanceuse de n'avoir pas succombé dans un dégât collatéral. Qu'est-ce qu'elle est belle dans ses vieilles fringues! Elle porte un carré court au blanc savamment entretenu, seule coquetterie que je lui vois, et cette masse de cheveux pareille à une île flottante posée sur une jatte de crème anglaise me la fait aimer aussi fort que Dame Tartine dans son palais de beurre frais. Je tire mon vieux Tarot de la pochette serrée sous mon pull en retenant le paquet de tabac et le livre de poche qui sont mes compagnons de route depuis l'âge de ma première fugue, et je le déploie d'une main après l'avoir mélangé en rond sur la table, rassemblé et puis coupé. Ensuite je tire cinq lames et les retourne. Je me concentre en massant mes sourcils avec force du pouce et de l'auriculaire.

Le patron a mis un CD. Je reconnais la voix pénétrante et épicée de Dinah Washington et adresse un sourire à son dos en esquisse de remerciement. Avec le coup tout à l'heure du poisson dans l'évier, je m'attendais plutôt à un florilège de chansons de Boris avec java des bombes et amour qui fait boum. Et bien oui, c'est parfois agréable, la tromperie d'une apparence.

La pluie dehors fatigue un peu et sur le toit ce n'est plus qu'un balafon qui se mêle à la douleur de Dinah.

On serait bien à l'abri sous le parapluie rouge d'Avigdor Arikha. Dans sa peinture, il est plié et debout près de la porte d'entrée d'un endroit qu'on suppose être la maison d'un particulier, mais si l'on sortait et l'ouvrait d'un geste ample et vigoureux, en une seule fois sans coincer le mouvement en route sur la tige de métal, alors on serait dans le chaud du rouge. Dans la joie du rouge. Dans le vivant du rouge. Ma petite vieille rirait volontiers dans le rouge. Et moi, je porterais le parapluie d'Avigdor au bout de mon bras qu'elle tiendrait avec une main en queue de croche, et je marcherais à petits pas en l'énervant à lui dire de bien éviter les flaques. Je dirigerais le parapluie contre le vent qui tournerait tout le temps et je prendrais à cœur cette mission de l'accompagner en la protégeant comme il faut des rafales. Elle se rattraperait parfois avec l'autre main, et mon bras l'enlacerait de justesse sous les épaules avant une chute que je lui prédirais fatale sans ma présence amicale. Avigdor Arhika a peint le parapluie pour elle et moi. Il est posé sur sa pointe et je n'ai qu'à l'attraper par son pommeau.

Que je le saisisse et le déploie, et je laisse en sortant les ciels du Morbihan lavés du vin que je ne boirai plus. Le tenancier prend la commande de ma dame au carré blanc en passant un coup de lavette devant ses mains posées l'une sur l'autre. Il a une tête de pomme de terre. Il a d'ailleurs son teint grège, sa consistance un peu molle et humide quand il sourit, des taches noires sur la peau et des bosses un peu partout. Même la ressemblance est olfactive : s'il se penche vers vous, ça sent la punaise écrasée.

Le brouhaha est soporifique. Je dévisage moins souvent ma mémé et les arcanes devant moi redeviennent des cartons colorés. Un incident tout à l'heure avec un clochard et son chien a bousculé la torpeur ambiante. Un instant trop court dans cette nonchalance sans fin, la scène a duré le temps d'une bière que j'ai envie de boire : l'animal secouait son poil trempé et puant, reproduisant l'agression de la pluie sur deux commerciaux déjà rincés en entrant dans la salle, et les poings allaient succéder aux insultes quand une lame a surgi et mis fin à la querelle. Puis le propriétaire du surin a replié son joujou et payé un coup au type qui tremblait et sentait plusieurs urines. Personne n'a bronché. Les deux offensés ont quitté bruyamment l'établissement et la chaleur et le fond sonore ont tout dominé comme avant.

«Tiens Odette, garde tes sous, je te l'offre.» Le taulier pose une chope sur la table et se retourne pour vider le reste de son plateau un peu partout dans le café : une soucoupe de cacahuètes réclamée pour sécher un vin blanc entre deux copains d'université, un crème et un baby whisky casés au milieu de portables, de gants et d'écharpes mouillés, des jus de fruits (du raisin, de la pêche et de la poire) qu'il secoue avant de les servir à des lycéennes sans cartable, et un jambon-beurre accompagné de frites pour un technicien en bleu de travail qui ne quitte pas sa caisse à outils (là, elle est sous la banquette entre ses jambes).

C'était ce que je buvais, des jus de fruits, avant que les médecins tuent mon Andy. De l'antésite aussi, et puis du chocolat l'hiver, touillé en raclant la porcelaine pour le plaisir du bruit, et des oranges pressées « sans eau et sans glace s'il vous plaît, je vous remercie ». Son père, les matins où je me réveillais maussade, en coupait deux et me les servait pour ramener mon sourire au début du petit-déjeuner. Je buvais dans le verre à grandes gorgées silencieuses à chaque fois, en le regardant droit dans les yeux. Il restait debout, attentif à ce que je finisse tout, et quand je lui tendais le verre vide, il me regardait avec la satisfaction de l'homme qui sait avec quoi, à partir de là, la journée peut continuer sa course.

Mes mains tremblent parfois entre les verres, et si je n'arrive pas à les maîtriser alors de petites larmes de rage m'échappent. Je fais semblant de bailler en les portant devant la bouche. Je ne sais pas si je donne le change. Je crois qu'en fait je m'en fous, mais c'est une manie que j'ai gardée du début où j'avais honte. D'ailleurs là, maintenant, alors que je serre les doigts de ma main nue avec celle qui, avant, était baguée de mon alliance, je tremble. Vides de bijoux, elles restent cependant habillées, mes mains, des ongles que je ne ronge pas et que j'enfonce au sang dans la peau de mes morts, ou de qui j'ai voulu voir mourir. Peau du visage, du crâne, des paumes et des cuisses de qui j'ai eu envie de tuer, mais je n'en ai pas eu le courage.

Je suis arrivée à pied dans cette petite ville de C. après avoir quitté la maison de Maître

Feuillebois, avocate à la Cour. Elle avait balayé deux ou trois des sottises dont la justice me tenait un peu rigueur et cru tenir à moindre frais un animal de compagnie qui aurait su manger avec la bonne fourchette, regarder ses films à la con dans l'Utopia de son quartier et rire de ses blagues pour faire la claque avec ses amis. En faisant semblant de lire sur ses lèvres et en imitant les cris de chien blessé de certains sourds, cela va de soi. Je bouffonnais pour le barreau et le faisais machinalement, presque sans malice. Feuillebois et ses « affidés » par contre se défoulaient en hoquetant leurs rires et leurs moqueries sur ma tête, conformément à ce qu'ils pensent qu'on attend de leur caste, soulagés qu'aucun du groupe ne serve de tête de turc pour maintenir la cohérence de la meute. J'ai fait un très bon élément oméga. Je n'étais bonne qu'à ça, je ne méritais pas mieux. Heureusement que tout finit par me lasser, et que mon instabilité me tiendra toujours lieu de boussole.

Quant au prix de mes services, il lui fera bien serrer les fesses sur la chaise de son bureau quand elle consultera ses comptes.

J'ai marché loin, longtemps et sur de grands trajets dans les journées. Au creux des bois et des vallons je posais la tête sur mes bras croisés fort sans toutefois m'endormir : les nuits étaient gelées et je prenais des marcassins pour John Silver ou *L'homme sans tête*. Je cherchais une ville de taille moyenne où les habitants passeraient leur temps à vouloir ressembler aux urbains des grandes agglomérations, des citadins en petite mort perpétuelle entre les rues commerçantes et les parkings des métropolitains, un greffon à l'oreille et avec une démarche de manchot, les bras pris dans des sacs plastique et dans une vie où les prolétaires croient vivre sur le même pied que les bourgeois parce qu'ils achètent des écrans plats. Une ville où je pourrais éviter la sympathie et son lot de questions indiscrètes.

Difficile d'attendre le jour avec les vivants. D'étouffer dans la tiédeur de leur respiration. De les écouter grouiller autour de leurs projets, comme des fourmis ouvrières qui se gavent, qui amoncellent des surplus de nourriture à ne plus savoir qu'en faire. De vouloir

que leur vie accélère, n'avoir rien pour rem-
plir la sienne et s'en fiche à un point, nom
de Dieu, s'en fiche à un point tel que... enfin
bref.

J'étais en route pour la ville de C., sans objet,
et sans avoir envie d'y traîner mes tatanes
très longtemps. Les cours d'eau reprenaient
leur bruit de printemps, et la lumière allon-
geait dans les fins de journée davantage de
clarté autour des taillis et de la ligne entre le
ciel et mon crâne blanchi à la bière. J'étais
dans l'ici et maintenant, et simultanément
au printemps quatre-vingt-deux, et à celui
de quatre-vingt-seize, et aussi de deux mille
sept. Les mêmes couleurs à chaque fois, les
mêmes frissons le matin avant neuf heures et
après cinq heures malgré l'étirement de l'arc
diurne. Les autres printemps n'avaient pas
senti pareil, mais ces trois-là avaient pué des
pourritures poudrées qu'il m'avait fallu garder dans la gorge. Déglutir et tenir, déglutir et
tenir, déglutir et tenir, exploser et mourir dans
un corps intact aux fonctions apparemment
constantes. Pour les deux autres printemps,

je n'ai pas le remords des survivants. Mais est-ce que je penserai un jour à me pardonner la vie qui me lève encore chaque jour pour manger, uriner et pleurer depuis le troisième, celui de deux mille sept?

Le tenancier a mis France Inter. Je suis venue pour oublier, toi plus que les autres, et je crois que ça va devenir facile. Je fixe bêtement les cheveux blancs d'Odette. Elle porte une raie au milieu et un peigne un peu en bataille sur le côté gauche de la tête. Je t'ai promis de ne jamais prendre soin d'un autre petit garçon, mais une vieille femme qui aurait besoin de moi, tu ne m'en tiendrais pas rigueur Andy, de ça je suis certaine.

« Excusez-moi, vous tirez les cartes? »
Un homme à l'âge marqué de ses problèmes s'assied d'autorité devant les cinq arcanes posés depuis tout à l'heure: haut comme un Fenwick et plutôt étroit dans un jean usé qui fait des plis sous une parka doublée d'une matière isolante rouge. Nous

nous mettons d'accord sur les modalités et je mélange les lames après avoir empoché le prix de la consultation. J'ai plié rapidement ses billets avant de les fourrer dans la poche arrière de mon pantalon. Un coup d'œil un peu lâche vers le bar et je constate que je ne risque pas d'embrouille de ce côté. Le patron ne s'intéresse pas plus que ça à mes petites affaires. Le bas de son visage exprime claire-ment qu'il s'en fiche, tandis que son regard rejoint rapidement les fesses d'une rousse qui cherche un groupe au fond du café. Il est ravi de lui proposer de s'asseoir pour mieux attendre ses amis. Collègues, précisera-t-elle en soulevant les épaules.

La fin de matinée arrive dans une tenue assez voyante et la salle expose ses encoi-gnures sous des rais de lumière blanche (et orangée dans la trajectoire des rideaux): le soleil a remplacé la pluie, changeant le timbre des voix. Les corps tout à l'heure voû-tés se redressent, et on relève le menton pour être à son avantage sous la poursuite toute neuve. Je décroise machinalement les jambes et ramène les pieds à plat sous la table.

Le jeu de mon consultant ne le satisfait pas vraiment. Le poste qu'il convoite dans sa société va lui être soufflé par un collègue, et «la femme de sa vie» n'apparaît sur aucune lame. L'histoire sans lendemain que je lui annonce le fait à peine sourire mais je n'ai pas envie de lui raconter ce qu'il veut entendre. De toute façon je m'en fous, je veux qu'il dégage rapidement et je mets un terme à l'entretien après avoir répondu un peu trop vite aux questions d'usage.

Le pêcheur de poisson rouge est différent de l'ami qui m'accueillait dans son troquet du Morbihan. Lui est rond, avec la lèvre inférieure pleine et celle du dessus affinée d'une moustache qui était à la mode dans les années trente. Clair de cheveux et de peau, son œil est pourtant foncé, et quand il se déplace entre les tables ou vers son bar, c'est en jetant des coups de pied comme s'il tapait des ballons oubliés sur son passage.

L'autre était sec comme la ficelle d'un cadeau, c'est-à-dire qu'on le croyait dans la rétention des choses et des sentiments, alors qu'il vous ouvrait ses bras et sa table avec la prodigalité d'un père Noël en début de tournée.

J'ai fréquenté pas mal de débits de boissons, mais dans ce bar breton je m'étais arrondie sur neuf mois et avais bu sans alcool, alors que dans celui-ci je suis évidée de la matière qui tapait sous ma peau et j'ai une mauvaise soif: deux bonnes raisons pour les trouver remarquables.

Il est inexact de penser que j'ai été une femme immobile. Il est inexact de dire que cet ami a dépendu son fusil pour le docteur d'Andy. Qu'il est mort de son cancer une semaine après lui. Je ne dirai pas son nom ni celui du mari qui m'a quittée pour hurler sa douleur dans les mains d'une de mes sœurs. Je me tais parce que je ne crois pas à la vérité. Je ne crois pas qu'elle libère ou enferme, entraîne des conséquences ou maintient un ordre quelconque des choses. Je crois à la fatigue qui me donne envie de poser mes valises dans cette ville de C. où les gens me voient comme une étrangère. Je sais, je n'ai pas donné au consultant qui part de ma table les mensonges dont il avait besoin. Je ne cherche pas à être cohérente, à faire une démarche résiliente ou ce genre de chose qu'on attend des gens qui marchent avec la même douleur dans les genoux que si une batte de base-ball les avait brisés.

Je crois de plus en plus à ma fatigue, et c'est ici, à C., que je vais me mettre en état d'arrestation.

« Qu'est-ce que je vous sers ? » Le patron parle au-dessus de mon chignon – je me suis penchée pour ramasser une carte tombée à l'instant où je rassemblais mon paquet.

« Un jus de tomates s'il vous plaît. » Je sors les billets du consultant mais il arrête mon geste : « c'est la dame en face vot' table qui vous l'offre. » Il donne un coup de tête en direction d'Odette. J'ai un air ahuri mais ce n'est pas son problème. Il tourne les talons. Odette me regarde sans que je puisse lire dans ses yeux. Mauves. Ils trouent ma cervelle entre mes cheveux et mes sourcils, mais ce n'est pas douloureux : une simple chatouille qui me fait serrer les mâchoires et frissonner des épaules jusqu'aux coudes. Je ne sais pas bouger avec le soleil, glaner dans les restes du monde ni plier correctement une pile de linge, rassembler les morceaux d'une ancienne photo, couper du bois ni ôter le pyjama d'un lapin ou goûter le sang chaud des ombres qui dansent derrière le mur d'une bataille, mais je me lève en tenant ma consommation et je la rejoins à sa table.

« Merci pour le verre.

– C'est à dire que vous me regardiez avec tellement d'insistance que j'ai fini par le prendre pour un compliment. Je vous rappelle une grand-mère qui vous aurait élevée, ce genre de chose ou bien quoi ?

– Non. Dites, vous avez l'accent auvergnat n'est-ce pas ?

– Vous esquivez toujours ou c'est parce que vous manquez d'assurance ? »

Ne fais pas ça Odette, je ne veux pas jouer avec toi. Je roule le verre entre mes paumes et le fond produit un bruit agaçant sur le bois de la table.

Ensuite, notre conversation n'a pas d'importance. Elle ne me questionne pas et je m'abstiens de l'importuner. Je suis bien. Je bois mon jus de tomates avec les échos de C. dont elle m'informe avec une voix d'alto agréablement timbrée par son léger accent bougnat. La ville peu à peu entre dans ma mémoire, à la manière d'une invitée qui après les présentations devient familière par sa silhouette d'abord, sa démarche ensuite, et par le débit de ce qu'elle partagera bientôt avec vous : des repas, des fêtes, des livres prêtés et tardivement rendus, et des confidences dont tout de même vous vous seriez bien passé. Un débit accéléré au début puis ralenti dans ses fréquences, exactement comme l'attrait de la nouveauté s'estompe pour laisser place aux habitudes lentes et dévorantes.

J'observe Odette dans ses habits séchés, une tenue que je trouve moins fade que tout à l'heure. Elle touche en me parlant un collier fantaisie dont le fermoir a tourné devant son cou et le remonte dans sa nuque. Je vais m'installer chez elle bien sûr. Comment prendre soin d'elle mieux qu'en habitant dans sa maison ? Son parapluie traîne sur la banquette près de sa cuisse. Un modèle bon marché de couleur ardoise, avec une baleine tordue saillant sous le tissu.

Je repense au parapluie d'Avigdor.

Le patron met du Sinatra. C'est un bon choix je crois. Je veux le croire en tout cas parce qu'Odette sourit, et le réseau de ses rides m'emporte aux époques qu'elle a connues et qui sont mortes avant moi alors qu'elle connaît aussi ce temps que je vis, et qu'elle le vit fermement, à la manière d'un chaînon vivant accroché entre hier et maintenant et qui me regarderait simplement pour dire : « Je m'arrête bientôt ; toi en revanche, il faut que tu ailles jusqu'au dernier de tes retranchements ; je parle de celui qui abritera ton corps débile et tes vieux jours puisque tu n'as plus les tiens pour le faire. »

« … mais ce qui m'embête le plus, c'est cette saleté d'ordinateur qui est de nouveau en panne. Je ne peux plus accéder à Internet et c'est ça qui m'isole, encore plus à présent que ma fille est en Australie … »

J'entends parfaitement la fin de ta phrase. Je ne sursaute pas. Je reste appuyée sur mon coude, la paume de ma main encadrant mon visage du menton à la tempe. Je te souris avec timidité. Je te dis que je suis un crack en informatique, et je propose de te raccompagner jusqu'à ton domicile pour guérir ta bestiole.

La lame XIIII du Tarot, Tempérance, m'avait invitée à changer le vin en eau dans un débit de boissons mais je suis entrée dans ce café pour attendre la fin de l'averse, et rien de plus. Qui a assez d'espoir, d'étincelle de vie pour écouter des remuements souterrains, suivre un oiseau en contresens sur un ponant ou arracher une sentence à des bouts de carton multicolores ? Odette n'est pas un ange, et ceux qui croient à la Providence peuvent aller se faire voir. Ma vie est une soupe de fiel que j'aspire bruyamment, parce qu'à part faire du tintamarre pour tenir mon attention éveillée, je ne sais pas ce qui peut m'ouvrir la gueule pour laisser passer la joie.

La couleur des yeux d'Andy – dont je n'aurai jamais connu la nuance définitive, claire de son père ou sombre de la mienne – éclate sur le visage d'Odette. Ses deux améthystes

froides encadrent une glabelle chiffonnée
sur son nez puissant et large, et je sais comment les réchauffer. Je te tiens la porte en
sortant du café. Il te faut *Le Parapluie rouge*
d'Avigdor Arikha et je vais te l'apporter. Je
l'accrocherai sur le mur de ton choix et tes
pierres mauves prendront feu quand tu me
souriras. Tu ne le sais pas encore en glissant
ta main sous mon bras. Tu étais seule et je
m'étais quittée. Il y aura désormais toi, moi,
et le tableau d'Avigdor.

Je connais parfaitement son emplacement
dans le boudoir de Maître Feuillebois.

Biographie

Anna de Sandre est libraire, et vit dans le Sud-Ouest où elle anime ponctuellement des ateliers d'écriture. Avec une prédilection pour l'art du bref, elle écrit indifféremment des nouvelles, des livres pour la jeunesse et de la poésie.

Bibliographie

Poésie
Le déhanchement du balancier, Les Carnets du dessert de lune, à paraître en 2015
Un régal d'herbes mouillées, Les Carnets du dessert de lune, 2012
Chemin faisant, Les Carnets du dessert de lune, 2012

Jeunesse
Iris et l'escalier, Gallimard jeunesse, 2012

Achevé d'imprimer en France en Mars 2014
pour les Éditions In8
Serres-Morlaàs

Dépôt légal : Avril 2014